hòu lái　　 luǎn biàn chéng le
后来，卵变成了
xiǎo kē dǒu 　 tā men kàn jiàn xiǎo
小蝌蚪，他们看见小
yā zi gēn zhe yā mā ma yóu shuǐ
鸭子跟着鸭妈妈游水，
yě yào qù zhǎo mā ma
也要去找妈妈。

鸭妈妈告诉小蝌蚪：
"你们的妈妈有两只大眼睛，嘴巴又宽又大。"

3

小蝌蚪高高兴兴地去找妈妈。小蝌蚪看见黄鲤鱼，直叫"妈妈"，黄鲤鱼却说："你们的妈妈有四条腿。"

4

xiǎo kē dǒu yòu jiào wū guī mā
小蝌蚪又叫乌龟"妈
ma wū guī shuō nǐ men de
妈"，乌龟说："你们的
mā ma dù pí shì bái de
妈妈肚皮是白的。"

5

小蝌蚪又遇见大白鹅，直叫"妈妈"，大白鹅说："你们的妈妈穿着绿衣服。"

yí huìr　　qīng wā mā
一会儿，青蛙妈
ma yóu lái le　xiǎo kē dǒu tián
妈游来了，小蝌蚪甜
tián de hǎn　　mā ma
甜地喊"妈妈"。

可小蝌蚪一看，妈妈
有四条腿，他们觉得自己
一点也不像妈妈，青蛙妈
妈说："你们还没长大呢。"

8

xiǎo kē dǒu gēn zhe mā ma zuò yóu
小蝌蚪跟着妈妈做游
xì　　 xì shuǐ　 màn màn de 　yě zhǎng chū
戏、戏水，慢慢地也长出
le　 sì tiáo tuǐ　　 tā men zhǎng dà le
了四条腿，他们长大了。

9

zhǎng dà yǐ hòu　tā men
长大以后, 他们
gēn zhe mā ma dào tián lǐ zhuō hài
跟着妈妈到田里捉害
chóng　bǎo hù zhuāng jia
虫, 保护庄稼。

10

图书在版编目(CIP)数据

宝宝成长故事乐园 / 韩晶主编. — 延吉：
延边大学出版社, 2017.12 (2023.4 重印)
ISBN 978-7-5688-2665-5

Ⅰ. ①宝… Ⅱ. ①韩… Ⅲ. ①故事课－学前教育－
教学参考资料 Ⅳ. ①G613.3
中国版本图书馆 CIP 数据核字(2017) 第 324422 号

主　编	韩　晶			
责任编辑	戚久莉			
封面设计	张　明			
出版发行	延边大学出版社			
社　址	吉林省延吉市公园路 977 号	邮　编	133002	
网　址	http://www.ydcbs.com			
电　话	0433-2732435	传　真	0433-2732434	
发行部电话	0433-2733056	传　真	0433-2733266	
印　刷	随州报业印务有限责任公司			
开　本	889mm × 1194mm　1/48			
印　张	7.5	字　数	20 千字	
印　数	10000 册			
版　次	2017 年 12 月第 1 版			
印　次	2023 年 4 月第 3 次印刷			

ISBN 978-7-5688-2665-5

定　价：150.00 元 (全 30 册)

有声读物
同步阅读

ISBN 978-7-5688-2665-5

建议上架

绘本故事

9 787568 826655 >

绿色印刷产品

定价：150.00元 (全30册)